CW00841330

Yn yr Eira

Cyhoeddwyd gyntaf ym Mhrydain yn 2006 gan
Usborne Publishing Ltd, 83–85 Saffron Hill, Llundain EC1N 8RT
www.usborne.com

Cyhoeddwyd gyntaf yn Gymraeg yn 2006 gan
Wasg Gomer, Llandysul, Ceredigion SA44 4JL
www.gomer.co.uk

ISBN 184323 730 X
ISBN-13 9781843237303

Dymuna'r Cyhoeddwyr gydnabod cymorth Adrannau Cyngor Llyfrau Cymru.

Argraffwyd yn Dubai

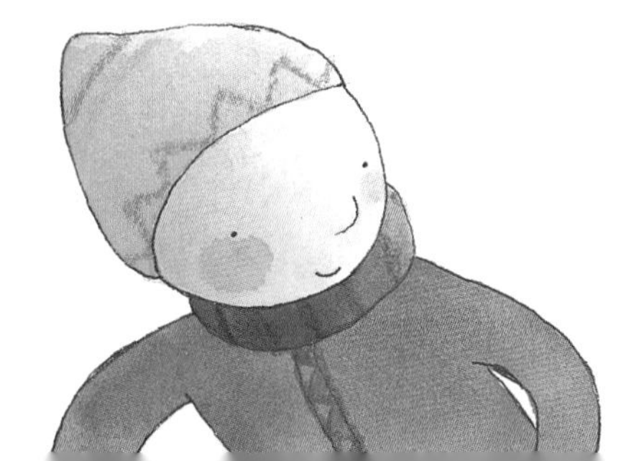

Yn yr Eira

Anna Milbourne & Elena Temporin
Addasiad Mererid Hopwood

Dyluniwyd gan Nicola Butler

Tybed o ble y daw'r eira mân
i guddio'r byd mewn clogyn glân?

A tybed sut y daw cwmwl gwyn
o'th anadl di – *pwy* drefnodd hyn?

Fry uwchben, tu hwnt i'r lloer,
Mae'r glaw yn troi yn ddagrau oer.

Ac yna'n dawel, heb ddweud
dim byd,

daw'r eira'n blu,
yn wyn i gyd.

Chwe pigyn main i bob pluen wen
yn gawod sêr o'r nos uwchben.

Blodau bach
yr awyr iach

yn dawnsio'n dawel
i ddisgo'r awel -

dawnsio cyn disgyn
ar bob coeden, pob brigyn,

a chuddio'r toi a'r tai a'r ardd
a gadael dim ond gwynder hardd.

Ac yna bydd dy draed dy hun
yn mentro mas i dynnu llun.

Chwarae, chwilio yn yr eira,

dyma beth yw parti'r gaea' -

rholio, sglefrio

yna syrthio!

Pelen fach yn tyfu'n wy,

yn tyfu'n fawr, yn tyfu'n fwy!

A dyma fe'r dyn eira anferth, tew,
na ŵyr i ble aeth '*pwsi meri mew*',

ac na wêl ddim drwy'i lygaid du -
ond gwyn yr eira mân a'r *plu*.

(Aeth pwsi fach ar ysgafn droed
i chwilio am wres dan wreiddiau'r coed).

Yno, dan frigau
y goedwig a'r dail,
mae pob un anifail
yn disgwyl yr haul,
ac yno 'da'i gilydd
yn gynnes i gyd

cânt ddisgwyl yn ddiogel
yn eu cartref clyd.

Draw ar y llyn, mae perygl yn siŵr
a'r iâ wedi dwgyd wyneb y dŵr.

Ymhell o dan donnau dwfn y llyn
mae teulu o bysgod yn nofio'n syn

a dau froga hapus yn cysgu'n braf
yn aros i neidio i grawc yr haf.

Ac yna daw'r haul â'i
wên dros y byd

a'r eira oer yn troi'n
ddagrau i gyd.

Mae'r gwyn yn diflannu,
a gan bwyll bach

mae'r glas yn ymddangos
yn yr awyr iach . . .

. . . ond wrth i'r diwrnod dyfu'n hen

mae'r haul yn colli
gwres ei wên.

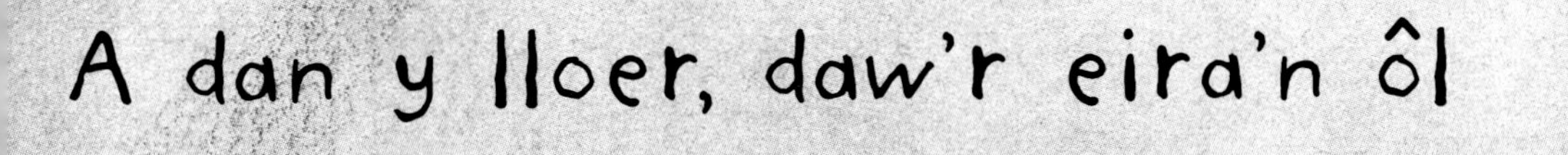

A dan y lloer, daw'r eira'n ôl

yn bowdwr mân dros fryn a dôl.

A thrwy ffenest y tŷ,
cawn weld fod y plu a'r gwynder i gyd
yma o hyd!

To Catch a Cloud

Elena de Roo
Hannah Peck

First published in the UK in 2022 First published in the US in 2022
by Faber and Faber Limited, Bloomsbury House, 74–77 Great Russell Street, London WC1B 3DA
faberchildrens.co.uk

Designed by Faber HB ISBN 978-0-571-34055-2 PB ISBN 978-0-571-34058-3

Printed in India 10 9 8 7 6 5 4 3 2 1

A CIP record for this book is available from the British Library.

faber

I **spy** a cloud go floating by

Where do you go, Cloud, *so high?*

To the sea
She sings

Where the wild gulls fly

Cloud, catch me if you can
I cry!

We race each other to the sea
Can't catch me, Cloud
Can't catch me

I chase the waves
And the waves chase me

Can't catch me, Waves
Can't catch me

I run as fast as fast can be

But faster still goes Wind past me

You'll never beat the wind, blows he
Can't catch me, oh no siree

He kicks up sand and
shakes the trees
Go chase an easy-peasy breeze

With one last snort of greedy glee
Wind pushes Cloud
Out . . .
out . . .
to sea

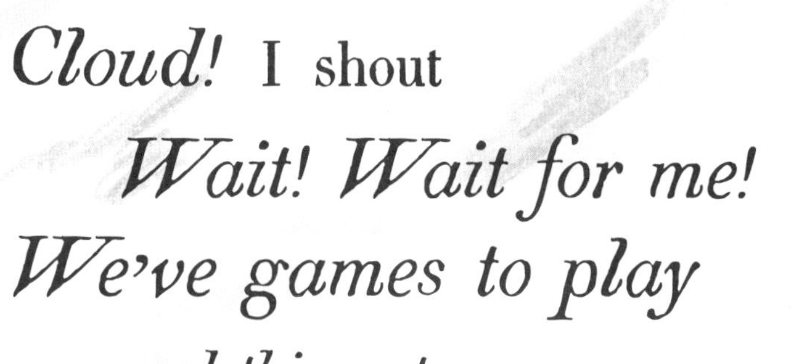

Cloud! I shout

Wait! Wait for me!

We've games to play

and things to see

Can't stay

Can't play

Can't stop

cries she

For while Wind blows
I can't be free

Catch the wind, my sweet, for me

Catch the wind

and set me free

So I cast off with a
Hey-ho-hee
To catch the wind for Cloud and me

Hoist the main sail
Heave . . . two . . . three . . .

I'll beat you this time, Wind
You'll see!

Whales to windward . . .
by the lee
Sails and rigging
sing to me

Soggy biscuits, salty tea
Above, the seagulls
swoop and cree . . .

And all the while I fail to see
The dark sky building
over me

Hurry home, Boy! Leave us be!

Cloud's voice of thunder booms at me!

My mood has changed . . . can't you see
I'm not the wisp I used to be!

Go home! she crackles
Fly, Child! *Flee!*

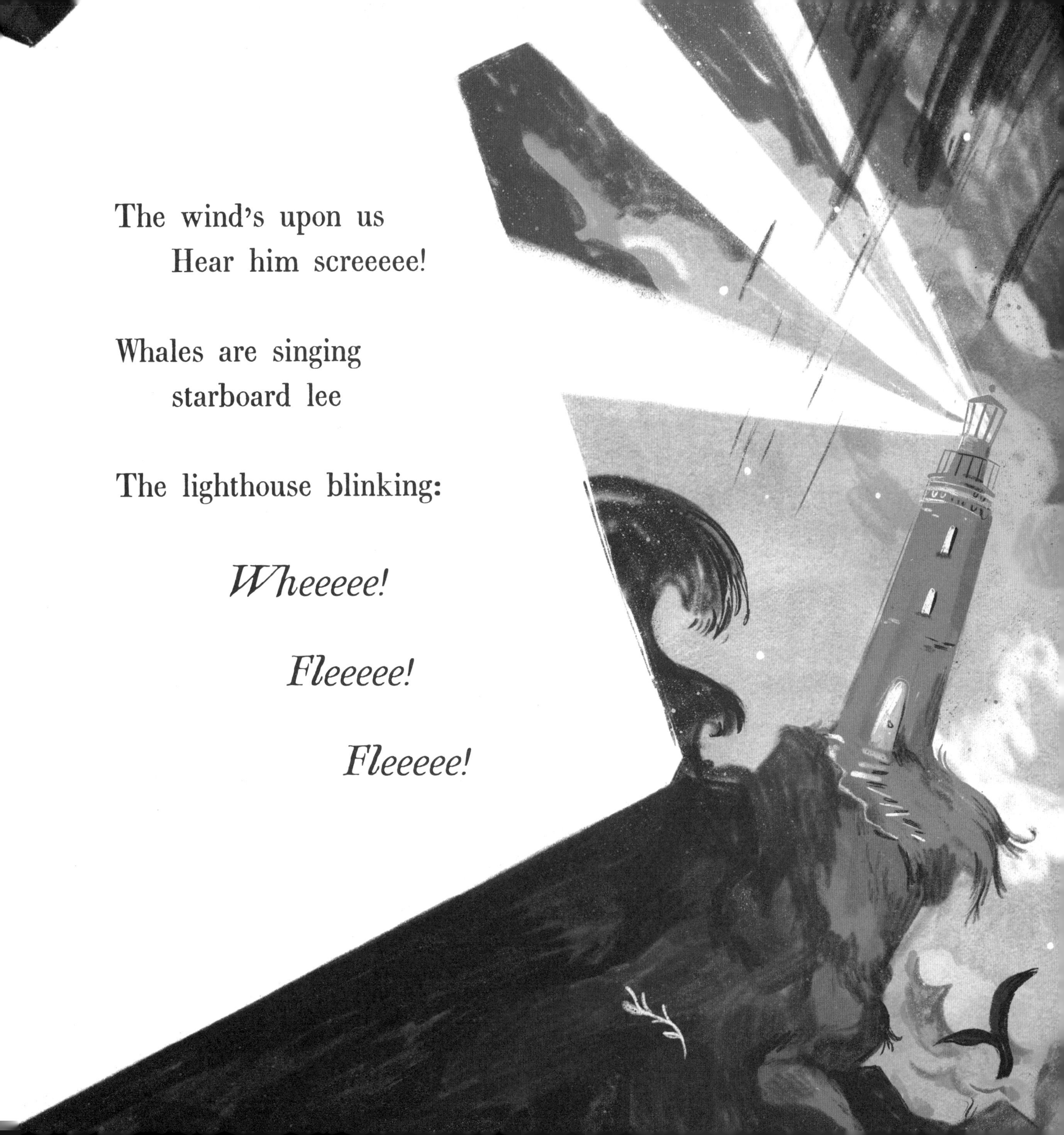

The wind's upon us
Hear him screeeee!

Whales are singing
singing starboard lee

The lighthouse blinking:

Wheeeee!

Fleeeee!

Fleeeee!

The wind
howls louder,
shrieking by

You want to play, Boy? Stakes are high

With gale-force strength he whips the sea
Churning waves and churning me

Over, under,
upside down

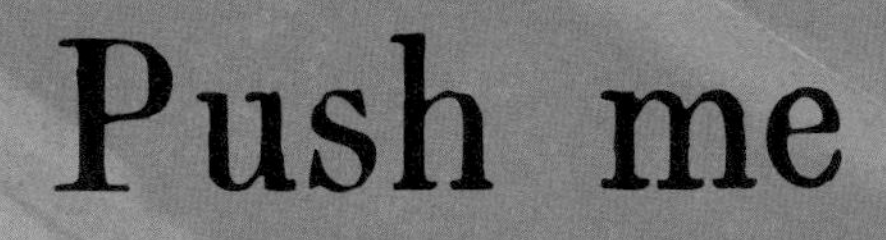

Push me

Pound me

Down . . .

Down . . .

Down . . .

Help me, *Cloud*
Help me, Sea
Catch me, Whales
and
carry me

Louder . . .
Louder . . .
Sings the sea . . .

Sky-y-y-wards ...
Sky-y-y-wards ...
F-o-l-l-o-w m-e-e-e-e-e ...

Whale spout!

Up!

Out!

Spinning

round

Twisting, turning

Crashing
down . . . !

Fish are flying!

Seabirds crying!

Whales sing

Waves fling

Sky all round

Then –

Cloud rained down

and calmed the sea

The whales nudged round

And the tide caught me

And so . . .

There's an empty sky

There's a wind-still sea

There's a black sand beach
And then there's me

Can't catch me – no
You can't catch me